DATE DUE

| | | | |
|---|---|---|---|
| | | | |
| | | | |
| | | | |
| | | | |
| | | | |
| | | | |
| | | | |
| | | | |
| | | | |
| | | | |
| | | | |
| | | | |
| | | | |

# El canto errante

Colección Sin Límites


Santiago, Chile
www.amanuta.cl

Edición General: Ana María Pavez y Constanza Recart
Diseño: Philippe Petitpas

Primera edición: mayo 2014
N° Registro: 237.913
ISBN: 978-956-9330-08-7
Impreso en China

Editorial Amanuta


Darío, Rubén.
El canto errante / Rubén Darío
Ilustraciones de Eleonora Arroyo.
1° ed. - Santiago: Amanuta, 2014.
{32 p.}: il. col. 26 x 21 cm. {colección Sin Límites}.
ISBN: 978-956-9330-08-7
1. POESÍA NICARAGÜENSE
I. t. II. Arroyo, Eleonora, il.

# EL CANTO ERRANTE

Rubén Darío
Ilustraciones de Eleonora Arroyo

editorial amanuta
COLECCIÓN SIN LÍMITES

El cantor va por todo el mundo
sonriente o meditabundo.

El cantor va sobre la tierra
en blanca paz o en roja guerra.

Sobre el lomo del elefante
por la enorme India alucinante.

En palanquín y en seda fina
por el corazón de la China;

en automóvil en Lutecia;
en negra góndola en Venecia;

sobre las pampas y los llanos
en los potros americanos;

por el río va en la canoa,
o se le ve sobre la proa

de un steamer sobre el vasto mar,
o en un vagón de sleeping-car.

El dromedario del desierto,
barco vivo, le lleva a un puerto.

Sobre el raudo trineo trepa
en la blancura de la estepa.

O en el silencio de cristal
que ama la aurora boreal.

El cantor va a pie por los prados,
entre las siembras y ganados.

Y entra en su Londres en el tren,
y en asno a su Jerusalén.

Con estafetas y con malas,
va el cantor por la humanidad.

El canto vuela, con sus alas:
Armonía y Eternidad.